À Marie...

Dans la même collection :

L'arche de Lulu
Lulu et le loup bleu
Lulu et le sapin orphelin
Lulu a un amoureux
La maîtresse de Lulu a disparu
Le cirque de Lulu
Lulu, présidente !
Lulu et la cigogne étourdie (à paraître)

© Éditions Magnard, 2002 – Paris
20, rue Berbier-du-Mets – 75013 Paris
www.magnard.fr

Dépôt légal : octobre 2002 – N° d'éditeur : 2007/246
N° ISBN : 978-2-210-97959-8
Photogravure : Atelier Fossard
Achevé d'imprimer en mai 2007 par Pollina, Luçon (France) – n° L43685

Lulu Vroumette

Daniel Picouly – Frédéric Pillot

Magnard Jeunesse

Lulu Vroumette, la tortue véloce,
rentre de l'école en courant,
son cartable sur le dos.
Il est lourd. Il fait chaud
et elle vient encore de battre à la course
son meilleur ennemi, Rien-ne-sert,
le lièvre même pas roux et prétentieux.

Lulu Vroumette est en nage.
« En nage ! Quelle bonne idée !
Et si on se trempait dans l'eau.
Un petit plouf dans la rivière.
Les devoirs attendront bien un peu.
Déshabillons-nous. »

Aussitôt dit, aussitôt fait.
Lulu Vroumette retire son cartable à bretelles.
Comme elle se sent légère !

« Il n'y a personne.
Et si je me baignais toute nue... »

Aussitôt dit, aussitôt fait.
Lulu Vroumette quitte
sa carapace de tous les jours.
Comme elle se sent légère !
Trois fois légère !

Le vent joli lui fait des chatouillis.
Lulu Vroumette plonge.
Elle fait des ricochets...
Vlip ! Vlip ! Vlip !
Que l'eau de la rivière
est chaude, et claire, et douce.

« Bonjour, les poissons ! Les roseaux ! Les grenouilles !
Les nénuphars ! Regardez comme je sais nager.
Yip ! le petit chien. Vlip ! la brasse.
Et sur le dos... Bloup !... Non, pas sur le dos. »
Lulu Vroumette vient de boire la tasse, le bol et l'arrosoir.

Lulu Vroumette nage et nage, et nage encore.
Le temps passe. Les nuages filent.
Le soleil regarde sa montre.
Il est l'heure d'aller se coucher.

Lulu Vroumette regarde autour d'elle.
Il fait sombre et frais et un peu peur.
Zioup ! Lulu Vroumette sort de l'eau.
Elle se roule dans l'herbe pour s'essuyer
et enfile sa carapace de tous les jours.

Mais non, elle n'enfile pas sa carapace de tous les jours.
Car sa carapace a disparu...

Lulu Vroumette n'a pas la berlue.
Sa jolie carapace a disparu !
Lulu Vroumette cherche partout,
sur les feuilles et sous les fleurs
et dans le trou des arbres.
Rien et rien et rien !

« Vite, il faut la retrouver. »

Lulu Vroumette ramasse son cartable
à bretelles et part à sa recherche.

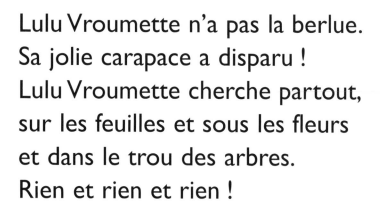

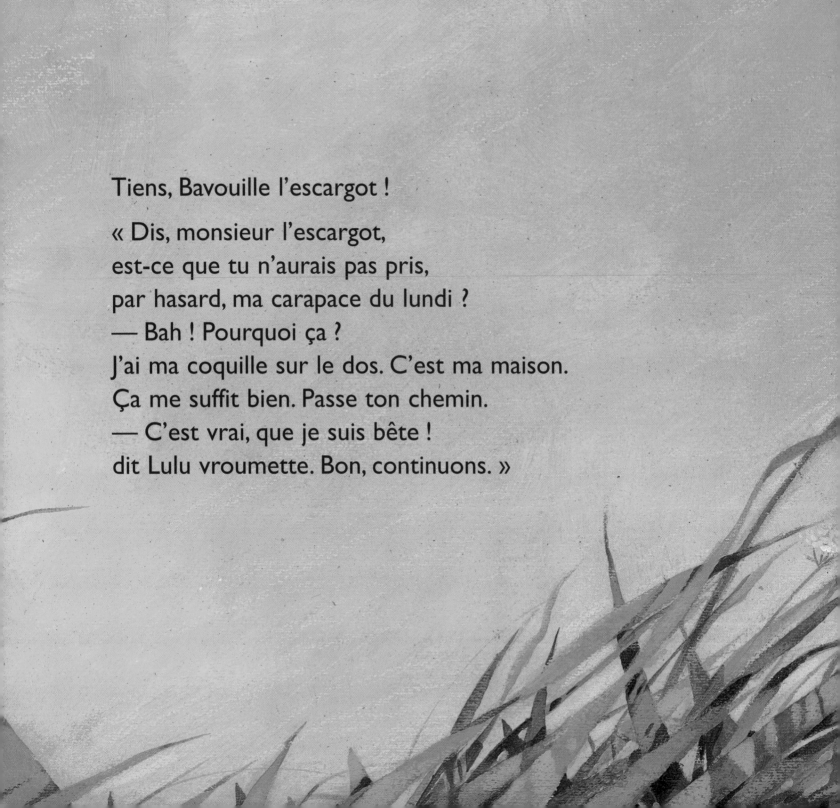

Tiens, Bavouille l'escargot !

« Dis, monsieur l'escargot,
est-ce que tu n'aurais pas pris,
par hasard, ma carapace du lundi ?
— Bah ! Pourquoi ça ?
J'ai ma coquille sur le dos. C'est ma maison.
Ça me suffit bien. Passe ton chemin.
— C'est vrai, que je suis bête !
dit Lulu vroumette. Bon, continuons. »

Tiens, Beaux-z'yeux, la taupe !

« Dis, madame la taupe,
est-ce que tu n'aurais pas pris, par mégarde,
ma carapace du mardi ?
— Bah ! Pourquoi ça ? J'ai ma galerie dans la terre.
C'est ma maison. Ça me suffit bien. Passe ton chemin.
— C'est vrai, suis-je sotte ! fait Lulu Vroumette.
Bon, continuons. »

Tiens, Frétillette la truite !

« Dis, madame la truite,
est-ce que tu n'aurais pas pris,
par erreur, ma carapace du mercredi ?
— Bah ! Pourquoi ça ? J'ai ma pierre dans la rivière.
C'est ma maison. Ça me suffit bien. Passe ton chemin.
— C'est vrai, pardon. Que je suis étourdie,
s'écrie Lulu Vroumette. Bon, continuons. »

Tiens, Chante-faux le rossignol !

« Dis, monsieur le rossignol,
est-ce que tu n'aurais pas pris,
par envie, ma carapace du vendredi ?
— Bah ! Pourquoi ça ? J'ai mon nid sur la branche.
C'est ma maison. Ça me suffit bien. Passe ton chemin.
— C'est vrai, pardon. Je suis stupide,
se désole Lulu Vroumette. Bon, continuons. »

Le soleil est déjà devant sa maison.
Bientôt, il fera nuit noire et noire.
Lulu Vroumette n'a plus le temps
de rencontrer le samedi et le dimanche.
Elle est désespérée.
Que va-t-elle devenir sans carapace de tous les jours ?
Tout le monde se moquera d'elle.
Sa maman et son papa ne la reconnaîtront pas.
Ils vont acheter une autre petite fille. C'est sûr !

Lulu Vroumette rentre chez elle
dans la nuit. Elle a froid.
Ses parents doivent l'attendre
devant la maison.

« Ouille-ouille-ouille,
la fessée sans carapace. »

Lulu Vroumette prépare
son petit derrière douillet.

Mais personne sur le pas de la porte.
Ses parents ne l'attendent même plus.
Elle entre dans la maison. Il y fait noir.
Ses parents sont partis. Ils l'ont abandonnée.
Vroumette voudrait pleurer.
Mais elle serre les dents, rentre la tête
et fait une petite prière de tortue
qu'on n'a pas le droit de dire ici.

Et tout à coup, miracle !
Ding-ding-dong !
Elle entend la voix d'acacia de sa maman :

« Ouvre les yeux, Vroumette, et regarde ! »

Elle ouvre un œil, puis deux. Et là ! Et là !...
C'est impossible à décrire.
Les mots sont trop petits, quand c'est si joli.
La plus belle carapace de tortue qu'on ait jamais vue.
Avec un ruban autour, tous les amis aussi,
un gâteau et des bougies !

« Combien de bougies ?

— Chut ! On ne dit jamais l'âge des tortues,
demoiselle, sinon ça les rend moins belles.
J'ai pris ta carapace pendant que tu te baignais
pour être sûre de la taille... Tu grandis si vite. »

Lulu Vroumette
se sent si grande !
Et encore plus véloce.
Demain, Rien-ne-sert,
le lièvre même pas roux,
sera battu à plate couture.
Ça, c'est sûr !